Cendrillon

Glénat jeunesse

Éditions Glénat
Couvent Sainte-Cécile
37, rue Servan
38000 GRENOBLE

Avec la participation de Marlène Jobert
Illustrations de couverture : Giuseppe Ferrario et Flavio Fausone
Illustrations intérieures : Atelier Philippe Harchy
Photo de couverture : Marianne Rosenstiehl
Prépresse et fabrication : Glénat Production

Achevé d'imprimer en mars 2015 en Italie par CPM Centro Poligrafico Milano S.p.A.

Le papier utilisé pour la réalisation de ce livre provient de forêts gérées de manière durable.

Dépôt légal : avril 2015
ISBN : 978-2-344-00774-7

Loi n°49-956 du 16 juillet 1949 sur les publications destinées à la jeunesse.

Il était une fois une petite fille qui allait pleurer chaque jour sur la tombe de sa maman. Elle s'appliquait, jour après jour, à être gentille comme sa mère le lui avait demandé avant de mourir.

Elle vivait avec son père. Les oiseaux étaient ses seuls amis ; ils l'accompagnaient en chantant partout où elle allait.

Un jour, le père se remaria avec une femme qui avait deux filles, aussi prétentieuses, méprisantes et laides que leur mère.
Toutes les trois ne pouvaient supporter la bonté et surtout la beauté de la jeune enfant.
Alors, elles l'obligèrent à se vêtir misérablement et à faire les travaux les plus désagréables de la maison.
La pauvre enfant souffrait en silence, elle n'osait se plaindre à son père.
Lorsque la petite avait fini ses corvées, elle allait s'asseoir près du feu, presque dans les cendres ; c'est pour cette raison que les méchantes sœurs et leur mère l'appelèrent Cendrillon.

Malgré sa triste vie, Cendrillon devenait de plus en plus jolie, contrairement à ses deux sœurs qui, elles, restaient... disgracieuses ! Il arriva que le fils du roi donna un bal qui devait durer trois jours. Toutes les filles du royaume furent invitées ; le prince voulait choisir parmi elles une fiancée. Quand les deux sœurs l'apprirent, elles furent folles de joie.
Elles ne pensaient plus qu'aux robes qu'elles mettraient, qu'aux coiffures qu'elles choisiraient.
Et, bien sûr, c'est Cendrillon qui dut repasser tout leur linge, faire briller leurs chaussures, et mêmes les coiffer ; ce qu'elle fit de son mieux et de bon cœur, bien qu'elle brûlât d'envie d'aller au bal elle aussi.

Après avoir longtemps hésité, elle demanda la permission à sa belle-mère.
- Toi, au bal ! Et pour quelle raison ?
Pour cirer le parquet, laver les torchons ? se moqua la méchante femme.

Mais Cendrillon insista et supplia tant et si bien que sa belle-mère, avec une lueur de méchante malice dans les yeux, lui dit :
- *Si tu ramasses et tries en deux heures les lentilles que je vais jeter dans la cendre, tu pourras venir avec nous au bal.*

Cela était infaisable. Alors Cendrillon eut l'idée d'appeler ses amis les oiseaux.
Elle leur montra les lentilles et leur dit :
- *Les bonnes dans le petit pot, les autres dans votre jabot !*
Comme les oiseaux l'adoraient, ils furent ravis de l'aider. Ils trièrent les lentilles : pic, pic, pic, pic, pic... et en une heure tout était fini.

Toute heureuse et fière, Cendrillon alla revoir sa belle-mère, qui lui dit, en cachant son étonnement et son agacement :
- Si tu arrives maintenant à trier en une heure deux pots de lentilles que je vais jeter dans la cendre, tu pourras venir avec nous au bal.

Nullement découragée, Cendrillon appela une nouvelle fois ses amis du jardin et leur dit :
- Les bonnes dans le petit pot, les autres dans votre jabot !
Et pic, pic, pic, pic, pic... en moins d'une heure, tout fut fini.

Toute heureuse et fière, Cendrillon retourna voir sa belle-mère ; celle-ci cacha encore une fois son étonnement, et à court d'idées, lui dit :

- *Tout cela ne sert à rien, tu n'as pas de robe à te mettre.*

Lorsque les trois méchantes femmes partirent pour le bal, Cendrillon s'effondra en larmes. Elle sanglotait encore quand, dans un tourbillon de poussière d'étoiles, une fée apparut : c'était sa marraine.

- *Tu voudrais bien y aller aussi, n'est-ce pas ?* lui dit-elle.

- *Hélas, oui,* dit Cendrillon dans un sanglot.

- *Essuie tes jolis yeux, ma belle, je t'y ferai aller. Va dans le jardin et rapporte-moi une citrouille,* dit la marraine.

Cendrillon alla cueillir la plus belle citrouille qu'elle put trouver et l'apporta à sa marraine, tout en se demandant comment une citrouille pourrait bien la faire aller au bal.
La fée creusa la citrouille et, lorsqu'il ne resta plus que la peau, elle la toucha de sa baguette magique ; la citrouille fut aussitôt changée en un carrosse doré.

Puis la marraine alla voir dans la souricière, trouva six souris, les toucha de sa baguette, et elles se transformèrent en six magnifiques chevaux qui allèrent se placer d'eux-mêmes devant le carrosse. Puis, la fée changea un rat moustachu en un superbe cocher, et six lézards en six laquais. Pour terminer, elle caressa Cendrillon de sa baguette magique ; ses vieux vêtements sales furent aussitôt remplacés par une robe brodée d'or et d'argent. Cendrillon regarda ses pieds : ses pauvres sabots étaient devenus de jolies petites pantoufles de verre.

Devant tant de splendeur, une grande émotion déborda de son cœur et monta jusqu'à ses yeux. La marraine dit en riant :
- *Oh non ! Ce n'est pas le moment de pleurer, mais celui d'y aller.*

Cendrillon monta dans le carrosse comme sur un nuage ; sa marraine lui dit alors :
- *Prends garde ! Tu dois être rentrée avant le douzième coup de minuit.*
Après, l'enchantement cessera ; le carrosse se changera en citrouille, les laquais en lézards, les chevaux en souris, le cocher en rat, et tes beaux habits redeviendront ce qu'ils étaient.

Cendrillon l'embrassa, la remercia de tout son cœur et promit de rentrer avant minuit, et le carrosse partit.

Lorsque Cendrillon entra dans la salle de bal, un grand silence se fit. On cessa de parler, on cessa de danser, les violons s'arrêtèrent de jouer.
Chacun admirait la grande beauté de cette mystérieuse inconnue.
On n'entendait qu'un murmure confus :
- Ah ! Mais qu'elle est belle !... Mais qui est-elle ?...

Le jeune prince s'approcha de Cendrillon, lui prit la main avec beaucoup de respect et l'invita à danser. Les sœurs de Cendrillon, qui ne l'avaient, bien sûr, pas reconnue, l'admiraient, bouche bée. Le prince ne la quitta pas non plus des yeux de toute la soirée. Soudain, Cendrillon entendit minuit moins le quart sonner.
Elle fit une révérence à toute la compagnie et s'enfuit le plus vite qu'elle put.

Dès qu'elle fut arrivée à la maison, elle remercia sa marraine et lui dit qu'elle aimerait bien retourner au bal le lendemain, car le prince l'en avait priée. La bonne fée hocha la tête d'un air entendu et, dans une poussière d'étoiles, elle disparut.

Peu de temps après, les sœurs et leur mère rentrèrent du bal.
- Ah! Si tu étais venue, tu aurais vu une princesse inconnue d'une beauté et d'une grâce sans pareilles. Le prince n'a dansé qu'avec elle.
Cendrillon cacha un sourire et ne révéla rien de sa soirée, bien sûr. Le lendemain soir, les deux sœurs et leur mère partirent au bal.
Peu après, la fée apparut. Comme la veille, Cendrillon vit une grosse citrouille se transformer en carrosse, les souris en chevaux, le rat en cocher, les lézards en laquais; ses pauvres habits devinrent une merveilleuse robe et ses sabots de jolies petites pantoufles de verre. Elle partit pour le bal, le prince ne voulut danser qu'avec elle. Lorsqu'elle entendit sonner minuit moins le quart, elle fit une révérence et rentra.
Les sœurs ne se doutèrent de rien, comme la veille.

Le troisième soir, la robe de Cendrillon était encore plus belle.
Avant de partir, Cendrillon promit à la fée de rentrer avant minuit. Le prince l'attendait avec impatience, et ils restèrent ensemble toute la soirée.
Quand ils ne dansaient pas, le prince parlait et, plus il parlait, plus Cendrillon souriait.
La jeune fille étourdie de bonheur n'entendit pas les huit premiers coups de minuit sonner. Au neuvième, elle réagit et s'enfuit si vite que le prince ne put la rattraper. Dans sa précipitation, Cendrillon perdit, sur les marches du grand escalier, une pantoufle.
Le prince la ramassa et la serra sur son cœur.

Cendrillon revint à la maison toute essoufflée, dans ses pauvres habits, sans carrosse, sans laquais. Il ne lui restait plus rien de toute sa splendeur, sinon une de ses petites pantoufles. Elle la cacha dans la poche de son misérable tablier. N'était-elle pas comme un précieux souvenir que sa marraine lui permettait de garder ?
Au même moment, le prince montrait l'autre petite pantoufle au roi et dit qu'il épouserait celle dont le pied pourrait s'y glisser.
- Qui d'autre que ma bien-aimée peut chausser cette merveille ?
On commença par essayer cette pantoufle à toutes les femmes de la cour, mais inutilement. On alla alors par tout le royaume, chez toutes les jeunes filles en âge de se marier.

Les sœurs de Cendrillon se réjouirent, pensant que la pantoufle leur irait peut-être. Lorsqu'on présenta la pantoufle à l'aînée, celle-ci fit mille contorsions et mille grimaces pour essayer d'y entrer, mais comme toutes les autres, elle ne put y parvenir. La sotte en était si vexée que, de rage, elle en pleurait.

La seconde sœur, plus stupide encore, voyant qu'elle n'arrivait à y glisser que deux orteils, s'entêta tout de même comme une forcenée.
On dut lui arracher la pantoufle des mains.
Elle avait envie de griffer tant sa fureur était démesurée.

On demanda s'il n'y avait pas d'autre fille dans la maison.
- *Si, moi!* dit alors Cendrillon en s'avançant.
Les sœurs et leur mère pouffèrent de rire.
- *Cendrillon la souillon, la princesse du bal? C'est impossible!*

Mais Cendrillon avança son pied.
On approcha la pantoufle; elle lui allait parfaitement.
L'étonnement des sœurs et de leur mère fut si grand que les yeux faillirent leur sortir de la tête et, quand Cendrillon tira de son tablier la deuxième pantoufle de verre, c'est leur langue qu'elles faillirent avaler. Elles n'étaient pas encore au bout de leurs surprises...

Soudain, un tourbillon de poussière d'étoiles vint envelopper Cendrillon, et elles reconnurent alors la princesse du bal ; sa robe était encore plus belle que toutes les autres.
Les sœurs se jetèrent aux pieds de Cendrillon pour implorer son pardon, ce qu'elle fit de bon cœur. On mena alors Cendrillon chez le jeune prince, qui l'épousa le jour même. Les oiseaux fidèles accompagnèrent en chantant le cortège des jeunes mariés, qui vécurent heureux pendant de longues, longues années.